# Mousse et Toupet
## vont à l'école

1 Ø/23
50Ç

D1488853

**Agnès Bertron** est née en 1960 à Saint-Germain-en-Laye. Aujourd'hui, elle habite dans le Sud de la France avec ses quatre garçons. Après avoir longtemps rêvé d'être médecin, elle s'est orientée vers des activités littéraires et artistiques. Elle aime écrire et interpréter des spectacles pour enfants. Mais ce qu'elle adore avant tout, c'est s'occuper de sa famille.

Du même auteur dans Bayard Poche :
*Flora, chanteuse d'opéra - La marmaille de la reine*
(Les belles histoires)

**Graham Percy,** né en Nouvelle-Zélande, est arrivé en Angleterre dans les années soixante pour suivre des études d'art graphique. Il a fait ensuite une brillante carrière d'illustrateur. Depuis, il a collaboré à plus d'une centaine d'albums et a contribué à l'élaboration de plusieurs films d'animation. Aujourd'hui, Graham Percy donne des cours sur l'illustration jeunesse et continue à travailler pour les éditeurs du monde entier. En France, ses ouvrages sont édités par Bayard Éditions et Calligram.

© Bayard Éditions, 1998
Bayard Éditions est une marque
du département Livre de Bayard Presse
Tous les droits réservés. Reproduction, même partielle, interdite.
ISBN 2.227.72826.4

# Mousse et Toupet
# vont à l'école

**Une histoire écrite par Agnès Bertron
illustrée par Graham Percy**

*Deuxième édition*

BAYARD ÉDITIONS

Mousse est un petit mulot gris.
Il vit heureux avec sa famille
dans le bois de hêtres.
Mousse habite un terrier* douillet.

* Ce mot est expliqué page 46, n° 1.

Il est le plus jeune,
le dernier de la famille.
Tout le monde le chouchoute.
Sa maman lui frotte le nez doucement,
son papa lui gratte la tête en rigolant.
Pourtant, depuis peu,
Mousse est malheureux.

Depuis que Mousse va à l'école,
tout au bout de la clairière[*],
il n'a toujours pas d'amis.
Mousse voudrait avoir un ami.
Il sait qui.

[*] Ce mot est expliqué page 46, n° 2.

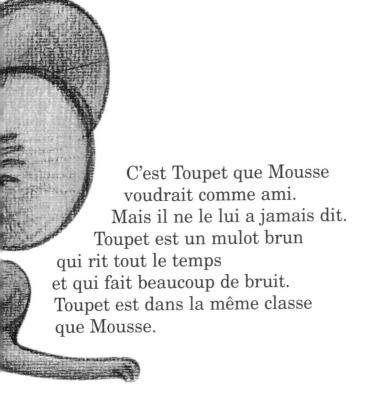

C'est Toupet que Mousse
voudrait comme ami.
Mais il ne le lui a jamais dit.
Toupet est un mulot brun
qui rit tout le temps
et qui fait beaucoup de bruit.
Toupet est dans la même classe
que Mousse.

Le matin, pour aller à l'école,
les petits mulots doivent traverser
tout le bois.
Sur le chemin,
les frères de Mousse sautent
à toute allure.
Toupet raconte des blagues
à un tas de petits mulots
qui pouffent de rire autour de lui.

Mousse est loin derrière.
Il marche lentement,
sans faire de bruit.
Il passe devant l'arbre
de la famille Écureuil
et devant le tronc creux
où il aime se cacher.
Puis il reconnaît le rocher
pointu comme une carotte.
Mousse aime le silence de la forêt.
Mais quelquefois
ce silence est trop grand.
Alors Mousse a peur.
Les autres sont si loin devant !
Il a peur que Goupil le renard
ne pointe son nez derrière le rocher
et qu'il ne vienne le dévorer.

Il a si peur qu'il n'entend plus
dans la forêt
que le bruit de son cœur
qui cogne très fort.
Il aimerait que Toupet marche
à côté de lui,
mais il ne le lui a jamais dit !

Mousse arrive toujours
le dernier dans la classe.
Il n'y a plus de place pour lui.
Il est tout coincé contre le mur
et il ne voit pas les images.
Toupet, lui, est toujours le premier.
Il s'assied tout devant.
Mousse aimerait bien que Toupet
lui garde une place à côté de lui,
mais il ne le lui a jamais dit !

Quand c'est l'heure de la récréation,
ça crie youpi ! hourra ! de tous les côtés.
Tous les petits mulots bruns ou gris
s'éparpillent en riant dans la cour.
Mousse reste seul
dans la salle silencieuse.
Il regarde Toupet qui organise
une partie de saute-mulots.
Mousse aimerait bien
que Toupet vienne le chercher
pour jouer et faire du bruit, lui aussi.
Mais il ne le lui a jamais dit !

Mousse approche son museau
de la vitre.
Il aime bien le silence

de la classe.
Mais quelquefois ce silence
est trop grand.

Quand vient l'heure du goûter,
les sacs s'ouvrent,
les papiers se déchirent.
Les yeux se mettent à briller,
les petites dents se mettent à grignoter.
Mais Mousse ne peut rien avaler.
Rien ne passe dans son gosier*.

* Ce mot est expliqué page 47, n° 3.

Pas la moindre miette
de la grosse brioche
que sa maman lui a cuisinée.
Il voudrait bien partager
son goûter avec Toupet,
mais il ne sait pas comment le lui dire.
Alors il range la brioche dans son sac.

Et sur le chemin du retour,
pendant que les autres foncent
vers leurs terriers,
Mousse émiette son goûter,
et les oiseaux se régalent.

Ce jour-là,
quand il est l'heure de quitter l'école,
Mousse suit des yeux
le jeu de cache-cache
dans les feuilles mortes
que Toupet a déclenché.

Mousse écoute
les cris de joie
que poussent tous les petits mulots.
Mais voilà Toupet qui fait demi-tour.
Il a oublié son bonnet et son écharpe.
Il retourne vite à l'école.

Quand il revient,
les autres sont déjà loin.
Il ne reste plus que Mousse.
Les deux mulots marchent
l'un derrière l'autre.
Ils entrent dans le bois.

Tout à coup, derrière le rocher
pointu comme une carotte,
Mousse aperçoit les yeux de Goupil
qui brillent dans l'ombre.
Mousse crie à Toupet :
– Attention, le renard !

Et ils bondissent entre les feuilles
le plus vite qu'ils peuvent,
sans s'arrêter, sans se retourner.
Soudain, Mousse reconnaît
le tronc creux. Il crie à Toupet :

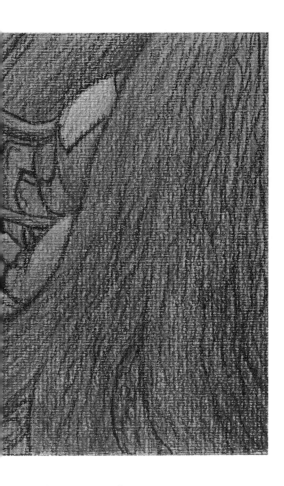

– Suis-moi !
Et les deux petits mulots se faufilent*
dans le trou de l'arbre.
La cachette est si profonde que la patte
de Goupil ne peut pas les attraper.

* Ce mot est expliqué page 47, n° 4.

L'entrée est si étroite
que le museau de Goupil
ne peut pas passer.
Goupil reste là, tout bête,
sans pouvoir les manger.
Alors il s'assied et il attend.
Sans dire un mot, Mousse et Toupet
se serrent l'un contre l'autre
pour avoir moins peur.

Voilà la nuit. Le renard est parti.
Il en avait assez d'attendre.
Mais Mousse et Toupet
n'osent pas sortir :
ils ont peur de se perdre dans le noir.
Toupet dit bravo à Mousse
d'avoir vu le renard à temps.
Toupet dit merci à Mousse
pour la cachette.

Alors Mousse dit à Toupet
tout ce qu'il ne lui a jamais dit :
ses peurs dans le bois le matin,
la place qu'il aimerait bien avoir
à côté de lui
dans la classe,
son goûter qu'il aimerait bien partager,
le jeu de saute-mulots
qu'il n'a jamais essayé.

Quand il a tout raconté,
Mousse se sent tout léger.
Toupet est bien surpris.
Il dit à Mousse :
— Mais pourquoi tu ne me l'as
jamais dit ?
Mousse et Toupet s'endorment
tranquillement
comme deux petits mulots amis
qui n'ont pas peur du silence de la nuit.

Juste avant l'aube,
Mousse et Toupet sont réveillés
par les voix affolées
de tous les mulots de la forêt

qui les cherchent partout.
Alors ils sortent de leur trou
et ils sautent au cou
de leurs parents.

Ce matin-là, Mousse est bien content
d'être à l'école.
Il est au premier rang, à côté de Toupet.
Tous les deux,
ils racontent aux autres mulots
de la classe
comment ils ont échappé au renard
et comment ils ont passé la nuit
tout seuls sans avoir peur
du silence de la forêt.

# LES MOTS DE L'HISTOIRE

1. Un **terrier** est un trou que certains animaux, comme les mulots ou les lapins, creusent dans la terre pour s'abriter.

2. Une **clairière** est un endroit au milieu d'une forêt où il n'y a pas d'arbres. Il y fait clair.

3. Le **gosier**,
c'est le fond de la gorge.
Quand on crie très fort,
on dit qu'on s'égosille.

4. **Se faufiler**, c'est se glisser très vite et
très habilement quelque part.

Achevé d'imprimer en Octobre 1998 par OBERTHUR Graphique
35000 RENNES - N° 1873
Dépôt légal : Août 1998 - N° Editeur : 4228
Imprimé en France